zip

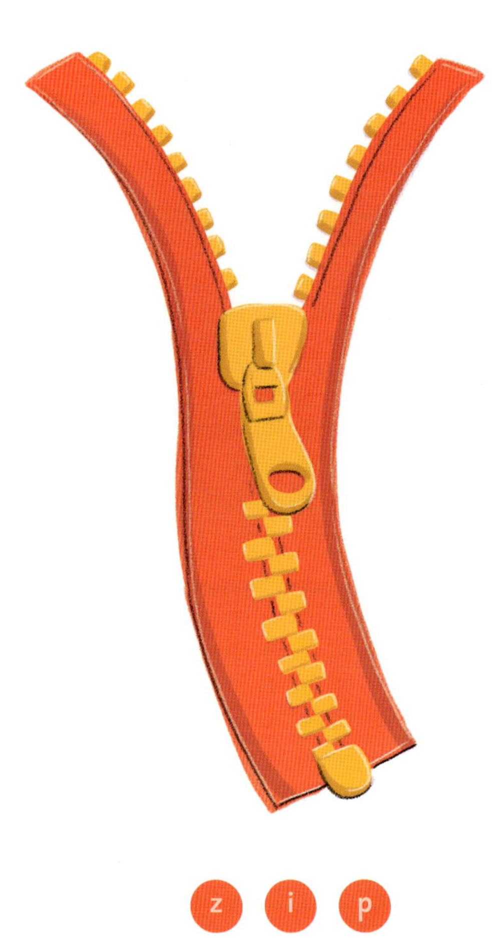
z i p

web

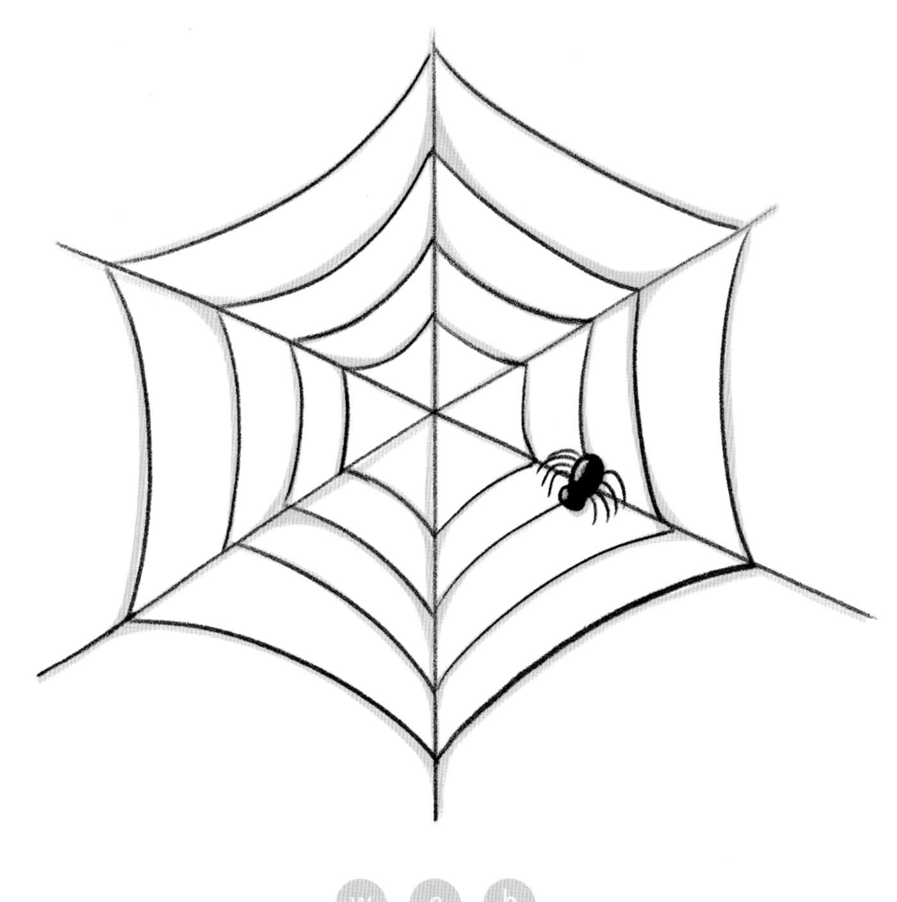

w e b

van

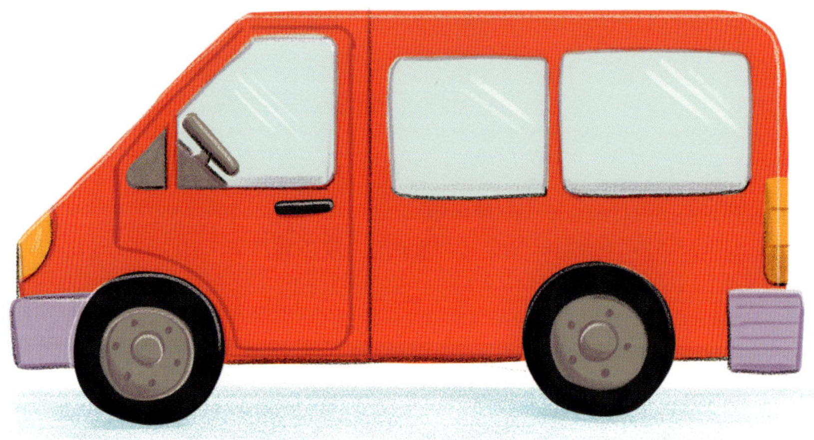

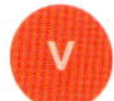
v
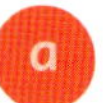
a

n

rook

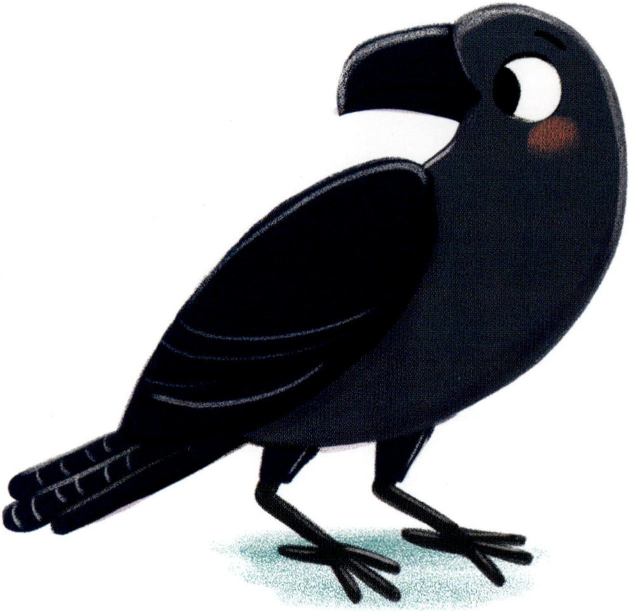

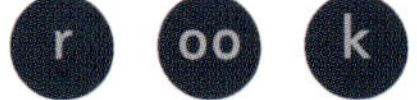
r
oo
k

fizz

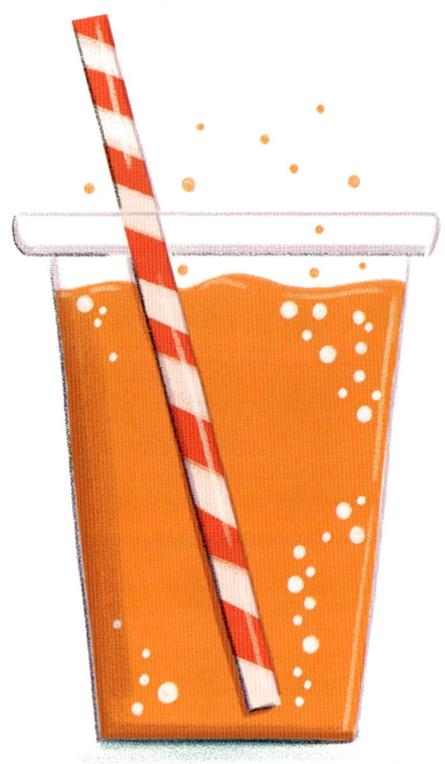

f

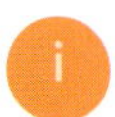
i

zz

stool

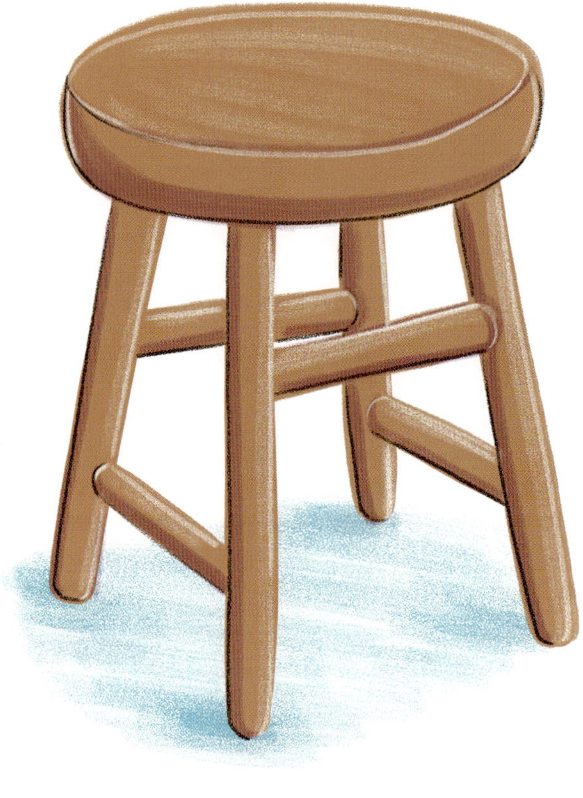

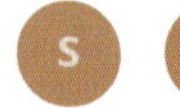
s

t
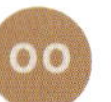
oo
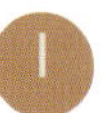
l

west

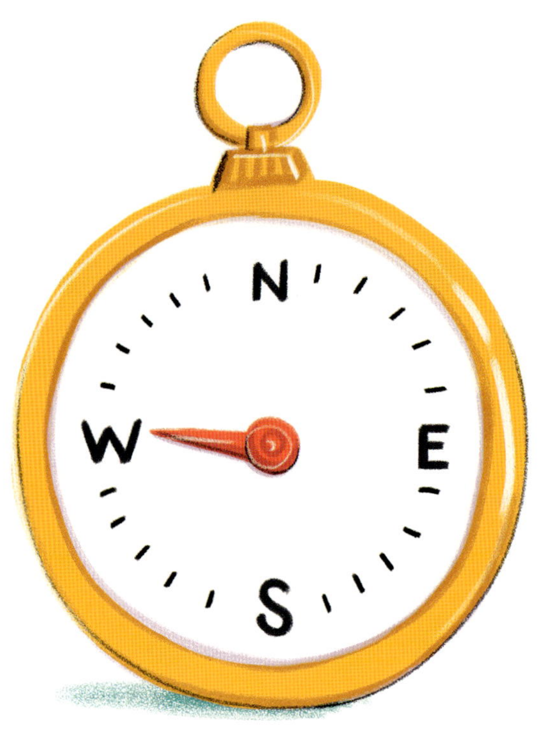
N
W
E
S

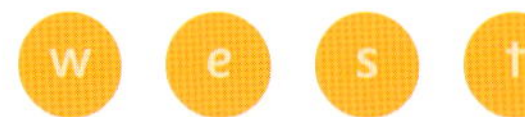
w
e
s
t

string

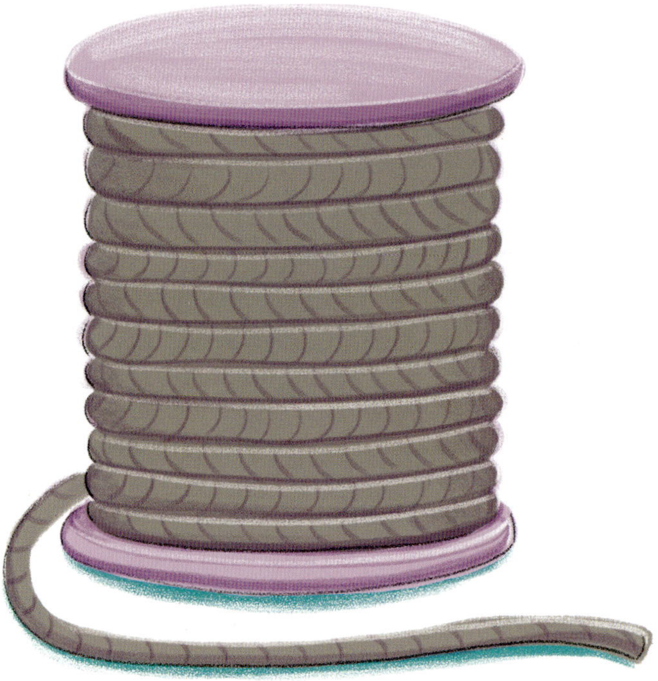

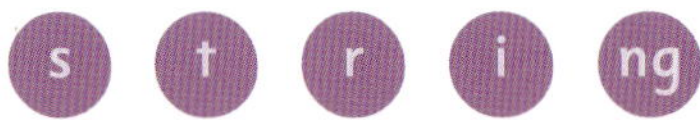
s t r i ng